El capibara con botas

Mira Canion

El capibara con botas
Cover by: Massimo Romano
Illustrator: Massimo Romano
Interior Design by: Yajayra Barragan
Photography by: Mira Canion

ISBN 978-0-9914411-3-6

Agradecimiento

This book is dedicated to Megan Hayes, who loves capybaras and teaching elementary students.

Thanks to her 3rd grade students at The Seven Hills School in Cincinnati, Ohio for their enthusiasm.

In addition, Vilma Montealegre and her 4th grade students, my 6th grade students, Nelly Hughes, Laura Zuchovichi, PJ Mallinckrodt, Mike Coxon, Anny Ewing, Beth Skelton, Laurie Clarcq, and Penelope Amabile were all helpful in providing me with feedback.

Animales
de Ecuador

Nota de la autora

Can you imagine that there is a giant swimming rat? It is as big as a person and can swim underwater for five minutes. I am talking about the capybara. Capybaras are delicious to several large animals and even humans. That is why capybaras live in big groups and bark to warn each other if there are pumas, jaguars or anaconda snakes nearby. Then they quickly jump into the water and swim away using their webbed feet.

Since capybaras are water animals, they live around lakes, rivers, marshes, and swamps. Thus, the Amazon rainforest is one of their favorite places. The Amazon has plenty of water as long as we do not cut down its trees and plants.

A small part of the Amazon rainforest is in Ecuador. In this South American country we find Carlos, the capybara with boots. Why is Carlos not happy? What problems does he have? What does he do to solve his problems? What people do the animals of the story remind you of? What problems and solutions does Carlos have that are similar to your problems?

Well, what are you waiting for? You will only find out the answers if you read. So let's go to the Amazon! Yes, that means you should turn the page.

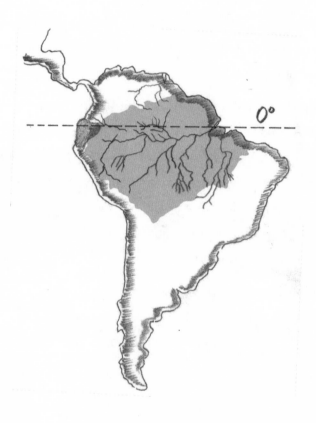

La Amazonia

Capítulo 1
Rata

Carlos es un animal interesante. Carlos es un capibara, una rata súper grande.

Carlos es de Ecuador. Es de la Amazonia, en Ecuador. La Amazonia es una selva tropical. Es una selva súper grande.

Carlos tiene un problema. Carlos es diferente. No nada bien. Tiene las patas diferentes. No tiene las patas palmeadas. Carlos no es normal.

Carlos tiene una mamá y un papá. Su papá es un capibara grande. Su papá es cruel porque Carlos no nada bien. Su mamá es una capibara grande. Su mamá es amable. No es cruel.

Capítulo 2
Amigos

Carlos tiene dos amigos: una iguana y un mono. La iguana es una amiga negativa. La iguana es cruel. No es amable. El mono es un amigo excelente. El mono es amable. No es cruel.

La iguana entra en el agua. La iguana está feliz porque nada bien. Carlos no entra en el agua porque no nada bien. Tiene las patas diferentes. Carlos no está feliz. La iguana dice:

–Carlos no puede nadar. Tiene las patas diferentes.

–Carlos puede nadar –responde el mono.

–No puede nadar. No es normal –dice la iguana.

Carlos no está feliz. Está furioso. Entra en el agua y está nervioso. Tiene gases porque está nervioso. La iguana exclama:

–¡Carlos no puede nadar!

El mono es amable. El mono dice:

–Carlos es fantástico. Puede nadar.

Carlos no nada en el agua. No puede nadar porque tiene las patas diferentes. Carlos no está feliz.

Capítulo 3
Nervioso

Un puma cruel está en la selva tropical. El puma ve a Carlos. Está feliz porque ve a Carlos. El puma ve a Carlos en secreto. Carlos tiene un problema. Carlos no ve al puma.

Carlos está en el agua. Tiene gases porque está nervioso. Su papá está furioso porque Carlos no nada. Su mamá no está furiosa. Su mamá es amable.

El puma camina hacia Carlos. El puma camina en secreto. Carlos no ve al puma. Pero su papá ve al puma.

–¡Al agua! –exclama su papá.

Su mamá y su papá entran rápido en el agua. Carlos ve al puma y está nervioso. Tiene gases porque está nervioso. El puma nota los gases. No ataca a Carlos porque Carlos tiene gases. Carlos está feliz porque escapa del puma.

Capítulo 4
Botas

Carlos tiene una idea, tiene dos botas. Tiene botas especiales. No tiene botas normales. Camina con las botas. Camina a dos patas. Carlos está feliz porque camina con las botas.

Su papá ve las botas. Su papá es cruel. Está furioso porque Carlos tiene botas. Está furioso porque Carlos no nada en el agua. Su papá exclama:

–¡Un capibara normal nada en el agua!

–Carlos es especial –responde su mamá.

–Un capibara normal nada bien –dice su papá.

Carlos camina con las botas. Su papá está furioso y le dice:

–¡Un capibara normal no tiene botas!

Carlos no está feliz porque su papá es cruel. Carlos no entra en el agua porque está nervioso. Su papá es cruel porque Carlos es un capibara diferente.

Capítulo 5
Puma

El puma cruel quiere atacar a los capibaras. Quiere una hamburguesa de capibara. Quiere una hamburguesa grande.

Pero el puma tiene un problema. Los capibaras escapan porque nadan muy rápido. Escapan porque el lago tiene mucha agua. El puma no nada muy rápido.

El puma tiene un plan. No quiere mucha agua en el lago. Entonces el puma destruye las plantas. Destruye árboles. Destruye las plantas y muchos árboles porque no quiere mucha agua. El puma no quiere las plantas porque producen vapor de agua.

El puma tiene un amigo. Su amigo es un jaguar. El jaguar quiere atacar a los capibaras. No quiere mucha agua en el lago. El jaguar ve las plantas.

No quiere las plantas. Entonces el jaguar destruye las plantas. Destruye muchos árboles.

El puma y el jaguar destruyen las plantas. Destruyen muchas plantas. Destruyen árboles. Destruyen muchos árboles de la selva. Entonces el lago no tiene mucha agua.

Capítulo 6
Agua

El lago no tiene mucha agua. Carlos está feliz porque no quiere nadar. Camina por la selva. Camina con las botas. Su papá no está feliz porque tiene un problema. No puede nadar porque el lago no tiene mucha agua.

Su papá ve el lago. La iguana nada en el lago. La iguana está feliz porque puede nadar. Puede nadar porque no es grande.

Entonces su papá entra en el agua. No está feliz porque tiene un problema. Su papá es grande. No puede nadar porque el lago no tiene mucha agua. Su papá está furioso.

Su mamá no está furiosa. Es amable. Carlos está feliz porque su mamá es amable. Camina con su mamá. No nada en el lago.

En secreto, el puma ve a Carlos. El jaguar ve a su mamá. El puma y el jaguar caminan hacia Carlos y su mamá. Caminan en secreto. Carlos tiene un problema. No ve al puma. Pero el puma ve a Carlos.

Capítulo 7
Corre

Carlos y su mamá caminan por la selva. El mono está con Carlos. El mono está encima de la cabeza de Carlos.

El puma y el jaguar caminan en secreto. Caminan hacia Carlos y su mamá. Caminan en secreto.

Carlos no ve al puma. Su mamá está nerviosa. De repente, su mamá ve al puma.

–¡Corre! –exclama su mamá.

De repente, el jaguar corre hacia su mamá. Entonces su mamá corre y salta en el lago. El jaguar corre hacia su mamá. Salta hacia su mamá. El jaguar choca con una roca porque el

lago no tiene mucha agua.

Entonces el puma corre hacia Carlos. Pero Carlos no salta en el lago. Carlos corre por la selva. Corre muy rápido porque tiene botas especiales. Corre con el mono encima de su cabeza. El puma corre rápido.

Capítulo 8
Salta

Carlos corre rápido por la selva. Carlos corre muy rápido porque tiene botas especiales.

De repente, el mono ve una anaconda.

–¡Salta! –exclama el mono.

Carlos salta hacia un árbol. Salta muy bien porque tiene botas especiales. El puma ve la

anaconda. Entonces el puma salta pero no ve el árbol. ¡Pum! El puma choca con el árbol porque no ve el árbol.

El puma tiene un problema. No puede correr. La anaconda ve al puma. La anaconda ataca al puma porque el puma no puede correr.

Carlos quiere escapar de la anaconda. Entonces Carlos corre con el mono. El mono dice:

–¡Fantástico! Tienes botas especiales.

–¡Sí, muy especiales! –exclama Carlos.

Entonces Carlos ve la selva. Su mamá no está en la selva. Carlos está nervioso porque su mamá no está en la selva.

–Mi mamá no puede escapar. No tiene botas –explica Carlos.

De repente, Carlos corre hacia el lago.

Capítulo 9
Especial

–¡Mamá! ¡Mamá! –exclama Carlos.

Muchos capibaras están frente al lago. Los capibaras están nerviosos porque el lago no tiene mucha agua. Carlos no ve a su mamá.

–¿Mamá? ¿Papá? –dice Carlos nervioso.

–¡Carlos! –exclama su mamá.

–Carlos corre rápido porque tiene botas especiales –dice el mono.

Un capibara grande ve las botas especiales. El capibara es el líder de los capibaras. El líder tiene un problema. Los capibaras no pueden escapar porque el lago no tiene mucha agua.

El líder tiene un plan. Carlos puede hablar con la tortuga grande. La tortuga grande es inteligente. Tiene ideas excelentes. Carlos puede caminar a la tortuga grande porque tiene botas especiales.

Carlos está muy feliz. Quiere hablar con la tortuga grande. Está feliz porque tiene botas especiales. Su papá no está feliz.

–Pero Carlos es diferente –explica su papá.

–Sí, es diferente porque tiene botas especiales –explica el líder.

–¡Fantástico! –exclama el mono.

–La tortuga grande está en las Islas Galápagos –dice el líder.

–Carlos no puede nadar. Tiene las patas diferentes –explica su papá.

–Pero Carlos tiene botas especiales –dice el líder.

Capítulo 10
La llama

El líder tiene una cerbatana.

–Toma la cerbatana –le dice el líder a Carlos.

Carlos toma la cerbatana. Está feliz. El mono ve la cerbatana. El mono es curioso. El mono salta encima de la cabeza de Carlos. Va con Carlos.

Carlos camina hacia las Islas Galápagos. Carlos y el mono caminan una gran distancia. Caminan hacia un volcán muy grande. Es un volcán súper grande.

El mono ve una llama. La llama está frente al volcán. La llama es grande. El mono es curioso. El mono salta encima de la cabeza de la llama.

–¡Fantástico! –exclama el mono.

La llama está furiosa porque el mono salta mucho. La llama le escupe a Carlos en la cabeza. Carlos está furioso. El mono salta encima de la cabeza de Carlos. La llama le escupe al mono en la cabeza.

De repente, el volcán explota. El mono está nervioso. El mono salta encima de la cabeza de la llama. La llama está nerviosa. La llama corre rápido porque el volcán explota.

Carlos corre y salta encima de la llama. Carlos salta muy bien porque tiene botas especiales.

–¿Los capibaras saltan bien? –pregunta la llama.

–Carlos tiene botas especiales –explica el mono.

La llama corre con Carlos y el mono. La llama corre rápido porque el volcán explota.

Capítulo 11

Quito

La llama corre con Carlos y con el mono. La llama, Carlos y el mono escapan del volcán. Corren mucha distancia. Van hacia Quito, la capital de Ecuador. Quito es grande. Tiene muchos carros.

La llama, Carlos y el mono caminan por Quito. El mono ve muchos carros. El mono es curioso. El mono salta encima de un carro. El carro es grande.

–¡Fantástico! –exclama el mono.

El mono salta mucho en el carro porque está feliz. De repente, el carro va rápido. El mono está nervioso porque el carro va rápido.

–¡Mono! –exclama Carlos.

Carlos y la llama corren hacia el carro. Carlos toma la cerbatana y escupe en el carro. Carlos corre hacia el carro. Corre muy rápido. Escupe en el carro.

De repente, el carro tiene un accidente. El carro choca con un árbol. Pero el mono ve a Carlos y salta rápido. Salta encima de la cabeza de Carlos.

El mono no está feliz. No quiere caminar con muchos carros. Quiere caminar hacia las Islas Galápagos. La llama es curiosa. Quiere caminar hacia las Islas Galápagos.

La llama está feliz. Va con Carlos y con el mono. Los tres animales van hacia el océano.

Capítulo 12

Tortuga

Los tres animales caminan una gran distancia. Entonces están frente al océano. Carlos no quiere nadar a las Islas Galápagos. No quiere nadar porque tiene las patas diferentes.

La llama ve un bote. El bote no es grande. Los tres animales van en el bote. Van hacia las Islas Galápagos. Van una gran distancia en el bote.

Entonces el bote está en las Islas Galápagos. Carlos, el mono y la llama van hacia la tortuga grande.

El mono ve a la tortuga grande. La tortuga es súper grande. El mono es curioso. El mono salta encima de la tortuga grande. La tortuga no camina rápido pero está feliz.

–¡Fantástico! –exclama el mono.

Entonces Carlos habla con la tortuga.

–Los capibaras tienen un problema en la selva. El lago no tiene mucha agua –explica Carlos.

–¿La selva tiene muchas plantas? –pregunta la tortuga.

–No, el puma y el jaguar destruyen las plantas y muchos árboles –responde Carlos.

–Las plantas producen vapor de agua –explica la tortuga.

–¿Las plantas? –pregunta el mono.

–Sí, la selva tiene mucha agua porque tiene plantas y árboles –dice la tortuga.

La tortuga tiene una idea excelente. La tortuga

tiene semillas. Tiene semillas de plantas y árboles.

–Toma las semillas. Planta las semillas en la selva –explica la tortuga.

–¡Fantástico! –exclama el mono.

Carlos toma las semillas. Carlos está feliz porque quiere plantar las semillas. Quiere plantar las semillas en la selva.

–¡Gracias! ¡Adiós, tortuga grande! –le dice Carlos.

–¡Adiós! –responde la tortuga grande.

Capítulo 13

Bote

Carlos, el mono y la llama van en el bote por el océano. De repente, el mono ve un tiburón en el agua. El mono es curioso. El mono salta encima de la llama. Salta mucho.

La llama está furiosa porque el mono salta mucho. Le escupe al mono. Carlos ve al mono. Pero el mono no está en el bote. Está en el agua.

El mono tiene un problema. El tiburón nada hacia el mono. Carlos ve el tiburón.

–¡Salta en el océano, Carlos! –exclama la llama.

–¡Toma mis botas! –exclama Carlos.

La llama toma las botas y Carlos salta en el océano. Nada rápido hacia el mono. Carlos tiene gases porque está nervioso. El tiburón nota los gases. No ataca a Carlos porque Carlos tiene gases.

Entonces Carlos nada con el mono hacia el bote. El mono está feliz porque Carlos nada bien.

–¡Fantástico! –exclama el mono.

–Carlos nada muy bien –dice la llama.

Carlos está feliz porque nada bien. Es un capibara normal porque nada bien.

Capítulo 14

Selva

El bote está frente a Ecuador. Los tres animales van hacia los volcanes. Muchas llamas están frente al volcán. La llama ve las llamas. Entonces la llama está feliz. No quiere entrar en la selva. La llama va con las llamas.

–¡Adiós! –dice la llama.

–¡Adiós! –responden Carlos y el mono.

Carlos y el mono van hacia la selva. Entran en la selva. Entonces Carlos toma las semillas. Planta las semillas. Carlos planta las semillas en la selva.

Entonces Carlos salta en el agua. Su papá ve a Carlos, pero Carlos no está nervioso. Nada bien en el agua. Su papá está muy feliz.

–¿Carlos nada bien? –pregunta la iguana.

–Sí, Carlos es normal. Nada muy bien –dice su papá.

–Carlos no es normal. Carlos es especial –explica su mamá.

Carlos está feliz. La selva tiene plantas y árboles. El lago tiene mucha agua. Carlos tiene una mamá amable y un papá feliz. Carlos nada muy bien. ¡Y tiene botas! Carlos está súper feliz.

Glosario

A

a - at, to
accidente - accident
adiós - good-bye
agua - water
al - at the, to the
amable - kind
Amazonia - Amazon basin
amiga - friend
amigo - friend
amigos - friends
anaconda - anaconda snake
animal - animal
animales - animals
árbol - tree
árboles - trees
ataca - s/he attacks
atacar - to attack

B

bien - well
botas - boots
bote - boat

C

cabeza - head
camina - s/he walks
caminan - they walk
caminar - to walk
capibara - capybara
capibaras - capybaras
capital - capital
capítulo - chapter
Carlos - Charles
carro - car
cerbatana - blowpipe
choca - s/he hits
con - with
corre - s/he runs
corren - they run
correr - to run
cruel - cruel
curiosa - curious
curioso - curious

D

de - of, from

del - of the, from the
de repente - suddenly
destruye - s/he destroys
destruyen - they destroy
dice - s/he says
diferente - different
diferentes - different
distancia - distance
dos - two

——————— E ———————

Ecuador - Ecuador
el - the
en - in
encima de - on top of
entonces - then
entra - s/he enters
entran - they enter
entrar - to enter
es - s/he is
escapa - s/he escapes
escapan - they escape
escapar - to escape
escupe - s/he spits
especial - special

especiales - special
está - s/he is
están - they are
excelente - excellent
excelentes - excellent
exclama - s/he exclaims
explica - s/he explains
explota - it explodes

——————— F · G ———————

fantástico - fantastic
feliz - happy
frente a - in front of
furiosa - furious
furioso - furious
Galápagos - islands off the coast of Ecuador
gases - gas
gracias - thanks
gran - great
grande - big

——————— H · I · J ———————

habla - s/he talks
hablar - to talk
hacia - towards

hamburguesa - hamburger
idea - idea
ideas - ideas
iguana - iguana
inteligente - intelligent
interesante - interesting
islas - islands
jaguar - jaguar

─────────── **L** ───────────

la - the
lago - lake
las - the
le - him, her
líder - leader
llama - llama
llamas - llamas
los - the

─────────── **M** ───────────

mamá - mom
mi - my
mis - my
mono - monkey
mucha - much, a lot
muchas - many, a lot

mucho - a lot
muchos - many, a lot
muy - very

─────────── **N · O** ───────────

nada - s/he swims
nadan - they swim
nadar - to swim
negativa - negative
nerviosa - nervous
nervioso - nervous
nerviosos - nervous
no - no
normal - normal
normales - normal
nota - s/he notices, notes
océano - ocean

─────────── **P** ───────────

palmeadas - webbed
papá - dad
patas - paws, feet
pero - but
plan - plan
planta - s/he plants
plantar - to plant

plantas - the plants
por - through, by way of
porque - because
pregunta - s/he asks
problema - problem
producen - they produce, emit
puede - s/he can
pueden - they can
pum - bam
puma - puma

——————— Q · R ———————

quiere - s/he wants
Quito - the capital of Ecuador
rápido - fast
rata - rat
responde - s/he responds
responden - they respond
roca - rock

——————— S ———————

salta - s/he jumps
saltan - they jump
secreto - secret

selva - rainforest, jungle
semillas - seeds
sí - yes
su - his, her
súper - super, very

——————— T ———————

tiburón - shark
tiene - s/he has
tienen - they have
tienes - you have
toma - s/he takes
tortuga - tortoise, turtle
tres - three
tropical - tropical

——————— U · V · Y ———————

un - a, an
una - a, an
va - s/he goes
van - they go
vapor - vapor, steam
ve - s/he sees
volcanes - volcanoes
volcán - volcano
y - and

Capibaras y Ecuador

Capybaras are the largest rodent in the world. They weigh between 60 and 150 pounds. By comparison, a rat weighs less than one pound. Capybaras are social animals. They eat plants in their habitat. They live in rivers, marshes, and lakes. They are very good swimmers due to their partially webbed feet. They can submerge themselves up to five minutes. Their main defense against predators is to quickly dive into the water.

El capibara es el roedor más grande del mundo. Puede pesar entre 60 y 150 libras (entre 30 y 70 kilos). Una rata pesa menos de una libra (200 g). Los capibaras son animales sociales. Comen frutas y distintos tipos de plantas. Nadan muy bien gracias a sus patas palmeadas, las cuales tienen una membrana que une los dedos. Cuando se sumergen, pueden pasar hasta cinco minutos debajo del agua. Cuando advierten peligro, se escapan de sus depredadores saltando al agua, por lo que viven cerca de lagos, ríos, y pantanos.

Ecuador is a small but very diverse country in South America. It has four geographical regions: Amazon rainforest, Andean highlands, Pacific coastline, and the Galapagos Islands.

Ecuador es un país pequeño en Sudamérica, pero, a la vez, es uno de los países con mayor biodiversidad en el planeta. Tiene cuatro regiones: la Amazonia, la sierra de los Andes, la costa y las Islas Galápagos.

Pumas y Jaguares

The puma is part of the big cat family that resides in the Americas. It has many names such as cougar, mountain lion, or panther. They live alone. Pumas can run up to 50 mph (80 km/h) and jump as high as 15 feet (4.6 m).

Los pumas viven en el continente americano y son parte de la familia de los felinos. Tienen varios nombres, tales como león de montaña, león o pantera. Viven solos. Pueden correr hasta 80 km/h y saltar hasta 4.6 metros.

The jaguar is the largest, most powerful animal of the cat family in the Americas. It is a solitary animal. They stalk capybaras by sneaking up behind them and pouncing on their necks with their powerful jaws.

El jaguar es el felino más grande del continente americano. Es solitario. Acecha y embosca a los capibaras saltando sobre ellos con sus fuertes mandíbulas abiertas.

Las Islas Galápagos

The Galapagos Islands are named after the giant tortoise. Galapagos means tortoise in Spanish. These islands are about 560 miles (900 km) west of Ecuador. They are home to some of the world's most exotic animal species: blue-footed boobies, giant tortoises, and penguins among others. A visit to the Galapagos Islands will reveal its most amazing aspect. The animals do not flee when approached by people.

El nombre de las Islas Galápagos proviene de las tortugas gigantes o galápagos que viven ahí. Se encuentran a 900 km de la costa oeste de Ecuador. En estas islas, se pueden encontrar varias especies de animales exóticos, tales como los piqueros patas azules, las tortugas galápagos, los pingüinos, entre otras especies. Lo más increíble de estas islas es que los animales no huyen ante la presencia de los seres humanos.

Las selvas tropicales

Rainforests are important for healthy living for everyone on the planet. They help us breathe better and maintain air temperatures because they absorb harmful carbon dioxide (CO_2). If there is too much carbon dioxide, the Earth will heat up causing many plants and animals to die. Over half of all the Earth's plant and animal species live in rainforests. Rainforests are essential for up to 25% of all medicines, the production of rubber, and numerous tropical fruits. Most importantly, all chocolate comes from rainforests!

Many people are concerned about the loss of our world's rainforests or deforestation. Rainforests are cleared for farming, wood and palm oil, and for mining jewels and minerals.

Las selvas tropicales son importantes para la salud de todos los habitantes de nuestro planeta. Limpian el aire y nos ayudan a respirar mejor, además de que regulan la temperatura ambiental, ya que absorben las emisiones dañinas de dióxido de carbono. Si hay demasiado dióxido de carbono en la atmósfera, la Tierra se puede calentar, causando la muerte de muchas plantas y animales. Más del 50% de todas las especies de plantas y animales viven en las selvas tropicales. Las selvas son esenciales para la producción del 25% de los medicamentos, del hule y para el cultivo una gran cantidad de frutas tropicales. Pero, lo más importante, ¡es que todo el chocolate se cultiva en las selvas tropicales!

Muchas personas están preocupadas por la deforestación. Las selvas tropicales están desapareciendo debido a la agricultura y a la minería, para la producción de aceite de palma, pulpa de madera, así como la extracción de piedras preciosas y minerales.

The Amazon basin is the world's largest rainforest and is located in nine South American countries: Brazil, Colombia, Peru, Venezuela, Ecuador, Bolivia, Guyana, Suriname, and French Guiana. Typically rainforests sit near the equator where the sun shines the hottest, up to 86° F (30° C). Rainforests have an abundant rainfall, up to 13 feet a year.

La Selva Amazónica es la selva tropical más grande del mundo situada en nueve países de Sudamérica: Brasil, Colombia, Perú, Venezuela, Ecuador, Bolivia, Guyana, Guayana Francesa y Surinam. Normalmente, las selvas tropicales se encuentran cerca del ecuador, donde el sol es fuerte y la temperatura sube hasta los 30° C (86° F). Son lluviosas, con más de 460 cm al año.

El ciclo del agua

The heat of the sun causes the leaves of trees and plants to give off water vapor that rises to the sky (transpiration). Similarly, water from lakes and streams evaporates and rises (evaporation). This water vapor turns cold and forms into clouds (condensation). When the air can no longer hold the water it sends it back to the ground as rain, hail, snow, or sleet (precipitation).

Con la energía del sol, las hojas de las plantas producen vapor de agua. De la misma manera, el agua del mar, de los lagos y de los ríos se va evaporando (evaporación). Este vapor de agua sube y forma las nubes. Cuando el vapor de agua en las nubes se enfría, se condensa (condensación) y se precipita en forma de lluvia, nieve o granizo (precipitación).

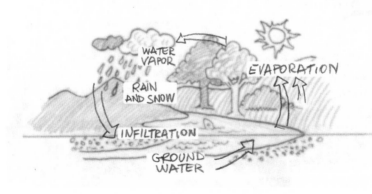

Sobre la autora

Mira Canion is an energizing presenter, author, photographer, stand-up comedienne, and Spanish teacher in Colorado. She has a background in political science, German, and Spanish. She is also the author of the popular novellas *Piratas del Caribe y el mapa secreto, Rebeldes de Tejas, Agentes secretos y el mural de Picasso, La Vampirata, Rival, Tumba, Fiesta fatal, El capibara con botas, Pirates français des Caraïbes, La France en danger et les secrets de Picasso* as well as teacher's manuals. For more information, please consult her website: www.miracanion.com.

Notas

Themes and topics for you to explore:

- Capybaras- the largest rodent in the world
- Animals of South America – puma, jaguar, monkey, iguana, llama
- Ecuador
- Amazon Rainforest
- Deforestation
- Water cycle
- Blowpipe- weapon in the Amazon basin
- Volcanoes of Ecuador- Cotopaxi, Chimborazo

- Galapagos Islands
- Giant tortoise- can live over 100 years
- Feeling different
- Covering up what you don't like – boots and other objects
- Good vs. negative friends
- Helping out your friends
- Listening to advice from your elders
- Believing in yourself
- Doing what you don't think you can do
- Protecting rather than destroying the planet